Raconte-moi pourquoi?
L'histoire de Moufette et Rat

Écrit par Graysen Luthye et Curt Luthye
Illustré par Justice Lanclos

Rat, m'aimes-tu?

Oui Moufette, je t'aime vraiment.

Hmmm,
laisse-moi
réfléchir ...

Tu n'as pas peur d'être toi-même.

**Tu organises de fantastiques
fêtes d'anniversaire.**

Tu inventes spontanément des chansons et me les chantes.

Tu es toujours prête à danser.

**Tu aimes les bons défis
et n'abandonnes pas jusqu'à
ce que tu réussisses.**

Tu adores mettre des robes et tournoyer.

Tu écoutes toujours quand j'ai envie de raconter une histoire.

Tu t'arrêtes pour sentir des fleurs.

Tu aimes te
promener
avec moi.

Tu es toujours prête à partager avec moi ce que tu viens de découvrir d'intéressant.

Les yeux des rennes deviennent bleus en hiver.

Tu es douée pour peindre.

Tu es gentille et ne laisse personne de côté.

Jacob, viens jouer avec nous.

Tu es mon amie.

Merci Rat, j'en avais besoin.

Pas de problème.

Oui?

Graysen Luthye est une fille de 10 ans avec des mèches bouclées et beaucoup d'énergie. Elle aime cuisiner, danser, faire de la randonnée et partir à l'aventure avec son chien Jacob. Ses activités préférées avec ses amis sont la construction de forts, le camping, la plage et l'exploration de nouveaux endroits, n'importe où, vraiment, tant qu'ils sont ensemble. Elle n'a jamais rencontré un livre qu'elle ne lirait pas, mais son auteur préféré est J.K. Rowling. Originaire de San Diego, en Californie, elle vit actuellement avec sa mère et son père à Baltimore, Maryland.

Curt Luthye est le père de Graysen. Il aime se promener, passer du temps dans la nature et rencontrer de nouvelles personnes. Ses gens préférés sont les enfants car ils nous rappellent d'aborder la vie avec curiosité, joie et rire. Ses activités préférées avec des amis sont de jouer à des jeux, de partager des repas et d'avoir de bonnes conversations. Son auteur préféré est C.S. Lewis. Il a vécu et visité des pays du monde entier, mais son endroit préféré est la maison avec sa famille.

Justice Lanclos est un illustrateur résidant actuellement à Baltimore, dans le Maryland. Influencée à la fois par les traditions artistiques américaines et japonaises, elle aime l'utilisation de la texture et des yeux de grosse biche. Amatrice d'une bonne dose de magie, elle espère transporter les téléspectateurs avec son travail, que ce soit en évoquant des souvenirs ou en élargissant les perspectives. Pour en savoir plus sur son travail ou pour l'embaucher pour votre prochain projet, rendez-vous sur www.momentsofjustice.com.

Lightning Source UK Ltd.
Milton Keynes UK
UKHW051856070520
362935UK00005B/92